BIEN FAIT POUR TOI !

Précédé de "MON MARIAGE AVEC MA PROF DE CALCUL"

GRIBOUILLAGES : JANRY
GRIFFONAGES : TOME
BARBOUILLAGES : STEPHANE DE BECKER
Enfantillages SUPPLEMENTAIRES : DAN

DUPUIS

Il y avait déjà LE GRAND SPIROU.
Désormais, il y a LE PETIT SPIROU.

Comprenons-nous : même si LE PETIT est plus petit que
LE GRAND (qui est le plus grand)...

...LE PETIT, ce n'est pas le petit frère du GRAND.

LE PETIT SPIROU,
c'est simplement LE GRAND quand il était petit.

Mais attention : en simplifiant, on pourrait penser que
LE GRAND est pour les grands lecteurs,
et LE PETIT pour les petits...

Ce serait trop simple.

LE PETIT SPIROU est aussi bien pour petits et grands que
LE GRAND (qui a déjà conquis tant de grands et petits).

C'est clair, non ?

Quelques copains...

VERTIGNASSE

Prénom : Antoine.
Mon meilleur ami
depuis qu'on nous
a surpris à épier
par le trou de
la serrure
du vestiaire des
filles. Lui et moi,
c'est "A la vie,
à la mort!" On ne
se quittera jamais.
Sauf s'il me volait
ma fiancée...
Mais il ne ferait pas
une chose pareille.

SUZETTE

Son vrai nom,
c'est Suzanne
BERLINGOT.
C'est ma fiancée.
Enfin, je crois : elle
a son caractère.
Parfois, je ne sais
plus où on en est.
Grand-papy
prétend que c'est
cela, le mystère
féminin.
Fille du pâtissier.
Déteste qu'on la
prenne pour une
crêpe.

PONCHELOT

Nicolas, dit
"BOULE DE GRAS".
Mon deuxième
meilleur ami. Il
mange trop, celui-
là. Un jour, il va
éclater, tellement il
est trop gros.
Prétend que c'est
un probléme d'hor-
mones, ou un truc
comme ça. Mon
œil! On me fera
pas croire qu'une
hormone puisse
manger autant.

CASSIUS

Ou plutôt Cyprien
Futu. Son papa est
le cuisinier de
l'école et son oncle,
chasseur de che-
nilles grillées à
Ouagadougou.
Cyprien est drôle-
ment fort. Il pourrait
faire boxeur plus
tard, mais lui préfè-
rerait Indien ou alors
marabout pour
pouvoir changer le
préfet en limace
des savanes.

MASSEUR

C'est celui avec
la tête allongée,
les yeux endormis
et l'air d'avoir
passé les congés
sur Mars.
En le voyant,
je me dis parfois
qu'ils ont dû garder
le cerveau à
la douane.
Et qu'il était si petit
qu'ils l'ont perdu...

(Suite page 9.)

Avertissement

CETTE HISTOIRE NE PEUT ÊTRE LUE PAR TOUT LE MONDE !

DÉSOLÉ.

LES "CROULANTS" AU-DESSUS DE 8 ANS, VOUS SORTEZ DE LA PIÈCE !

?

...Ou plutôt, vous passez les six pages suivantes.

De toute façon, vous n'allez pas aimer. C'est un genre de conte

...DES SORNETTES !

CETTE HISTOIRE RACONTE...

?

HÉ ! LE GRAND, TOUT DEVANT, QUI FAIT SEMBLANT DE RIEN, ÇA VAUT POUR TOI AUSSI !

BIEN ESSAYÉ !

C'EST ÇA ! À TOUT' MERCI !

ET S'IL RESTE ENCORE DES VIEUX, QU'ILS VIENNENT PAS SE PLAINDRE ! JE LES AURAI PRÉVENUS, HEIN !

DONC, CETTE HISTOIRE RACONTE...

MON MARIAGE AVEC MA PROF DE CALCUL

Oui, je sais ! Pourquoi la prof de calcul ? Au début...

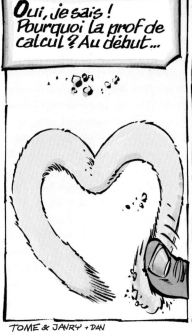

...je pensais me marier avec Suzette

HO! HO!

?

...mais elle m'a fait comprendre qu'elle rêvait plutôt d'un cosmonaute.

TOME & JANRY + DAN

1

...Et quand elle disait "cosmonaute", je crois qu'elle pensait plutôt à...

...UN "GRAND"! UN VRAI! AVEC DES POILS! PAS UN BÉBÉ!

MAIS ...ÇA NE VA PAS! T'ES TROP P'TITE!

M'EN FICHE! IL ATTENDRA QUE JE GRANDISSE!

ADIOS

J'étais encore là à méditer sur toutes ces choses. Les "grands", les cosmonautes, les étoiles, les poilus, le mariage, quand une sorte d'oiseau...

...s'est posé sur moi.

POUF

Je l'ai porté à ma grand-mamy qui est plus forte que moi pour reconnaître les oiseaux.

?

C'était pas un oiseau mais un vêtement que 'moiselle Chiffre faisait sécher sur son balcon.

'Moiselle Chiffre, c'est ma jolie prof de calcul. (J'espère que vous suivez).

$\heartsuit + \heartsuit = ?$

C'est de cette époque que datent mes progrès soudains en calculs.

$\heartsuit + \heartsuit$

...quand elle m'a fait cette promesse :

BRAVO! VRAIMENT, SI TU CONTINUES AINSI, TU VAS FAIRE DE MOI LA PLUS HEUREUSE DES FEMMES!

TOME & JANRY

II

Bon! je simplifie un peu pour que les plus petits comprennent mais en gros, sans être cosmonaute, j'avais déjà un peu la tête dans une étoile.

BEN QUOI !? T'ES PAS BIEN ? TU VIENS PLUS JOUER ?

JE RÉVISE LES CALCULS DU TRIMESTRE PROCHAIN !

DU "TRIMESTRE PROCHAIN"??

OUAIS! SI JE PEUX PAS ÊTRE COSMONAUTE, JE S'RAI SAVANT EN CALCULS POUR RENDRE 'MOISELLE CHIFFRE HEUREUSE!

Mais même l'école peut être parfois un monde cruel.

$in^2\theta = \frac{1}{2}(1 - \cos 2\theta)$

$\cos\phi + \cos\theta \sin\phi$

$s\phi + \sin\theta \sin\phi$

$\frac{a}{\sin A} = \frac{b}{\sin B} = \frac{c}{\sin C}$

$a^2 = b^2 + c^2 - 2bc \cos A$

$= \cos\theta + i \sin\theta$

$\cos B = \sin\alpha$

$+ \sin B = \cos\alpha$

Quand ils ont vu que grâce à moi, 'moiselle Chiffre était en train de devenir la plus heureuse des femmes, y en a qu'ont pas supporté...

...Tout le monde a voulu devenir savant en calculs. (Même Masseur, qui voulait jusque-là devenir dentiste.)

Ça a mis une ambiance de compétition détestable.

Tout le monde voulait faire de 'moiselle Chiffre la plus heureuse des femmes.

À n'importe quel prix!

TOME & JANRY + DAN

Il fallait réagir...

HÉ, HO! T'AS VU HEIN ?!

ON EST TOUS DEVENUS LES CHOUCHOUS EN CALCUL!

HÉHÉ!

C'EST ÇA! TOUTE UNE CLASSE D'ALBERT EINSTEIN EN SHORT!

MAIS MOI, JE SUIS SÉRIEUX!

MOI, JE SUIS PAS LÀ POUR TRAÎNER AVEC DES BÉBÉS COMME VOUS!

MOI... MOI...

HEU...

MOI, JE VAIS ME **MARIER** AVEC LA JOLIE PROF DE CALCUL. C'EST À MOI QU'ELLE A PROMIS, D'ABORD!

HEIN !?

QUOI?

SE MARIER ?!

LÀ!

AVEC UNE VIEILLE?

BWEEK!

QUELLE HORREUR!

ET LES ENFANTS? T'IMAGINES?

ÇA VA FAIRE DES NAINS À LUNETTES.

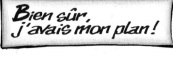

Bien sûr, j'avais mon plan!

CHOCO

Faire ma déclaration.

Maintenant que j'étais devenu si fort en calcul...

...elle ne pouvait qu'accepter!

HA! MELCHIORICHOU! ENFIN! JE VOUS RETROUVE!

CLAUDIA, MA DOUCE, MON AIMÉE! MAIS PARLEZ MOINS FORT! QUELQU'UN POURRAIT NOUS SURPRENDRE!

QUELLE TORTURE QUE CES JOURNÉES LOIN DE VOS BRAS MUSCLÉS! IL N'Y A QUE VOUS, CHER AMANT...

...POUR FAIRE DE MOI LA PLUS HEUREUSE DES FEMMES!

KRA...AAAK

Bref...

CYPRIEN. PARFAIT!

ANDRÉ-BAPTISTE, EXCELLENT!

ET ENFIN... SPIROU...

C'EST LA RÉCRÉ, VOUS POUVEZ SORTIR!

MAIS TOI, SPIROU? IL FAUT QU'ON SE PARLE!

OUAIIIIIIII

PAS UN CALCUL CORRECT! QUE SE PASSE-T-IL?

BEN... J'AI PERDU MA MOTIVATION. Y'A LE MONDE ENTIER QUI FAIT DE VOUS LA PLUS HEUREUSE DES FEMMES. ON POURRA JAMAIS SE MARIER COMME ÇA! DÉSOLÉ!

...SE MARIER?! MAIS...

ÉCOUTE, SPIROU, JE T'AIME BIEN MAIS CE N'EST PAS POSSIBLE! LES ENFANTS NE SE MARIENT PAS AVEC LEURS INSTITUTEURS! TU ES TROP PETIT!

C'EST PAS GRAVE, VOUS ATTENDREZ QUE JE GRANDISSE! (J'AI UNE COPINE QUI FAIT PAREIL AVEC UN COSMONAUTE.)

TOME & JANRY + DAN

MAIS VOYONS, IMAGINE: QUAND TU AURAS, DISONS, 20 ANS, MOI J'EN AURAI ...ENFIN ...TU PEUX FAIRE LE CALCUL TOI-MÊME...

GNÉ GNEEG...

MAIS, 'MOISELLE! SI CH'UIS TROP P'TIT POUR ME MARIER, JE VEUX BIEN ME CONTENTER D'UNE AVENTURE.

TU ES UN PETIT GARÇON DIFFÉRENT DES AUTRES, SPIROU. SOIS PATIENT ET JE TE PROMETS QUE DES AVENTURES, QUAND TU SERAS GRAND, TU EN AURAS BEAUCOUP.

Bref...

AH!? TIENS, SUZETTE? HEM, ET HÉU ...ÇA VA AVEC TON COSMONAUTE?

BOF... J'EN N'AI PAS TROUVÉ. ET PUIS. SI C'EST POUR ATTENDRE QU'IL REVIENNE DE L'ESPACE...

Y AVAIT LE PROF DE MÉCANIQUE QUI ÉTAIT GENTIL, MAIS IL S'INTÉRESSE À UNE GRANDE.

JE VOIS.

POUR MOI, LES CROULANTS, C'EST FINI! MAIS SI TU ES D'ACCORD, ON PEUT JOUER À LA FAMILLE. ENSEMBLE. LE P'TIT CHAT SERA NOTRE ENFANT!

HEU...ET SI ON ALLAIT SE BAIGNER À LA RIVIÈRE?

ON AURA DES DETTES, UNE CUISINE ÉQUIPÉE DANS TA FUSÉE

UN CONSEILLER CONJUGAL

À LA RIVIÈRE? MAIS J'AI PAS MON MAILLOT DE BAIN!...

MOI NON PLUS! MAIS ON S'EN F...! PUISQU'ON EST TOUT P'TITS...

...LES MAILLOTS, C'EST POUR LES GRANDS!

PLOUF

Fin d'avertissement

BON! ALLEZ, LES VIEUX! VOUS POUVEZ REVENIR MAINTENANT!

TOME & JANRY

Couleurs: STUF

FIN

Quelques madames...

VESSIE

...c'est le plus doux des chiens. En tout cas avec les enfants. Il lui arrive bien de s'énerver, mais franchement c'est ultra-rare et encore, 'faut vraiment lui en avoir fait voir.
On l'a appelé comme ça quand on l'a recueilli parce qu'on n'est jamais arrivé à lui faire perdre l'habitude de faire ses "petits" besoins un peu partout. J'ai bien dit ses "petits", hein...
On aurait pu tomber plus mal.

MADEMOISELLE CHIFFRE

(Son prénom s'rait Claudia, y paraît.)
C'est notre institutrice de calcul et plein d'autres choses que je n'arrive pas à retenir quand je suis trop près du tableau où elle écrit. Le calcul, c'est pas trop mon fort. Depuis que Grand-Papy prétend l'avoir vue se baigner dans la rivière dans "le plus simple appareil", plus tard je veux devenir mécanicien. Et même, pour les appareils compliqués aussi. Ca m'fait pas peur.

GRAND-MAMY

J'ai aussi une grand-mère (du côté de mon papa...). C'est un sacré numéro, celle-là! Avec un caractère drôlement coriace, mais je l'aime bien quand même. Paraît qu'elle garde un trésor fabuleux dans son coffre, mais on croit qu'à cause de ses problèmes de mémoire, elle ne se souviendrait plus de la combinaison! Ça rend tout le monde un peu bizarre lors des réunions de famille...

MAMAN

J'vous la présente plus. Elle est là depuis le début. Elle a toujours été là. Elle sera toujours là. Elle m'aimera toujours, d'abord. Si j'y arrive, un jour je deviendrai une sorte de héros dont elle sera fière. J'ai pensé à un genre d'aventurier avec un animal fidèle et un copain qui prendra les baffes pour deux. En attendant, je profite que je suis encore un enfant, et qu'on me pardonnera tout! Et Vert' s'entraîne à prendre les baffes.

(Suite page 47.)

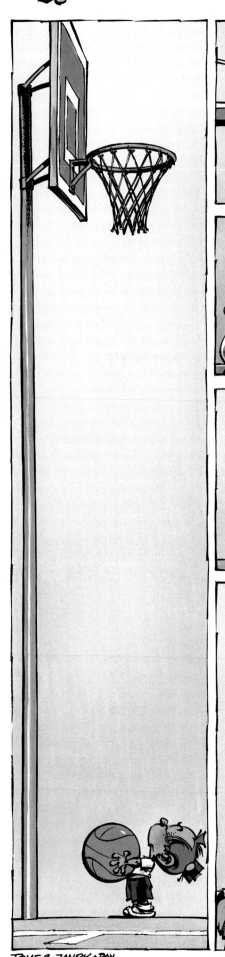

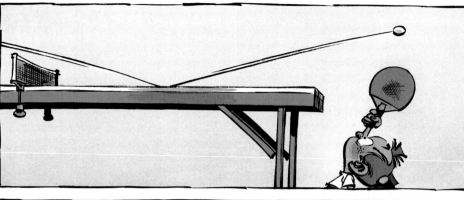

"PLUTÔT UN COURS DE ...BILLES" ?!

...ET JE PEUX SAVOIR POURQUOI ?

GYM
FOOT
AMÉRICAIN

QUI DIT MIEUX POUR CE @#*&%☠⚡!!! DE NAIN DE JARDIN CATASTROPHIQUE?!

MOI! J'EN DONNE MILLE EUROS! JE LE DRESSERAI COMME MES DIX-HUIT CHIENS!

MILLE AU FOND LÀ-BAS!

MILLE **DIX** EUROS ET UNE COLLECTION D'IMAGES PIEUSES J'EN FERAI LE PREMIER SOLDAT DE MON ARMÉE D'ENFANTS DE CHŒUR.

BRAVO!

MILLE **CENT** ET UNE CAISSE DE BIÈRE! J'AI BESOIN DE PETITES MAINS POUR MON USINE CLANDESTINE DE CHAUSSURES DE FOOT.

SNIF! J'AURAIS PRÉFÉRÉ UNE PETITE FILLE MAIS JE LUI METTRAI DES JUPES! **JE MONTE À CINQ MILLE!**

CINQ MILLE!? RHOOOÔÔÔÔ...

ADJUGÉ! À LA GROSSE DAME EN VERT! VENEZ EMBRASSER VOTRE ACHAT!

J'TE CROIS P... P... PAS! ON NE PEUT PAS! C'EST PAS LÉGAL D'ABORD!

UNE SECONDE, JE VÉRIFIE AUPRÈS DE L'AVOCAT!

TOME & JANRY + DAN

480

TOME & JANRY + DAN

BON! LES P'TITS, VOUS ALLEZ FAIRE UN TOUR...

CETTE HISTOIRE N'EST PAS POUR VOUS

BREF, POUR FAIRE COURT, DERNIÈREMENT, AUX ALENTOURS DES FÊTES...

!? Mr MÉGOT? ALORS, C'EST VOUS LE PÈRE NOËL ?!!

NOM DE...?! ON FRAPPE AVANT D'ENTRER AU VESTIAIRE, P'TIT FOUILLE M... !!! BANDE DE MOULES!

PAS LE TEMPS DE T'EXPLIQUER!! ON M'ATTEND!

SILENCE! TU NE SORS PAS D'ICI AVANT MON RETOUR!

BROSSE-MOI CE LOCAL! ÇA T'OCCUPERA!

...ET J'VEUX PLUS VOIR UNE CANETTE!

VITE! UNE PETITE CIGARETTE ET EN SCÈNE!

TCHIK

FO...CH!

À CAUSE DE TOI! TU M'AS ÉNERVÉ! J'AI PLUS DE FAUSSE BARBE! COMMENT JE VAIS FAIRE HEIN?!

MMH... ET TOI, P'TIT BANDE DE MOULES, T'AS BIEN PRIS TOUS TES MÉDICAMENTS ?!

TOME & JANRY + DAN

482

ALORS, MON GARÇON...

DOCTEUR Th. ZGLÖRTJ PSYCHOLOGUE

ON A UN GROS PROBLÈME ?

COMME JE TE COMPRENDS! MOI-MÊME, À TON ÂGE, DÉJÀ... LES AUTRES ENFANTS ÉTAIENT BIEN CRUELS... JE LES ENTENDS ENCORE...

HÉ! GRAS DOUBLE!

LA BARRIQUE!

MOBY DICK!

GROS LARD!

LES PROBLÈMES DE POIDS, C'EST LOURD À PORTER.

...MAIS TOUT ÇA, C'EST DANS LA TÊTE, ET...

HEU, DOCTEUR, CÔTÉ TAILLE, SON PROBLÈME, CE N'EST PAS LE POIDS.

Miom

BOUFF GNAP

...SES COPAINS SE MOQUENT DE LUI PARCE QU'IL EST ...PETIT.

HA! MAIS OUI, EN EFFET, IL Y A EU CONFUSION AU SECRÉTARIAT, VOUS ÊTES ATTENDUS CHEZ MON COLLÈGUE À CÔTÉ...

...LE DOCTEUR ZGLORDZ!

ALORS, MON GRAND, ON A UN PETIT PROBLÈME ?

TOME & JANRY + DAN

483

CINQUANTE AIMANTS À FRIGO SOUDÉS À LA SUPER GLU DANS LE FOND DE VOTRE MAILLOT! LA VOILÀ, LA SOLUTION!

KCHALOT SUN OIL

...PUISQUE LE TAUREAU MÉCANIQUE EST EN FER!

PAS BÊTE!

DONNE-MOI ÇA ET À MOI LA GONZESSE!

CONCOURS INTERPLAGE

ALORS, QUI GAGNERA EN TENANT PLUS DE TROIS MINUTES SUR LE DOS, LE DROIT À UN BAISER PROFOND DE MISS "FLOTS BLEUS"

MOI! BANDE DE MOULES MAZOUTÉES!

ON APPLAUDIT BIEN FORT L'AMATEUR!

OUAIS!

BRAVO

OUAIS

PRÉPARE-TOI À PERDRE TON SOUFFLE, POULETTE! ÇA VA PULSER!

TIENS BON, MON COW-BOY! ON M'APPELLE "LANGUE-DE-FEU"!

KLON

ET C'EST PARTIIIII!

OUAIS

BRAVO

C'EST MON PROF' DE GYMNASTIQUE! IL EST TRÈS FORT!

YEP

GAW

BOUNC

BOING

GEEDARP

...ET PUGNACE AVEC ÇA! PAS LE GENRE À LÂCHER PRISE FACILEMENT!

GAW

484

TOME & JANRY + DAN

? ? ? ? ? ? ? ? ?

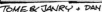
TOME & JANRY + DAN

486

Un soir, l'hiver dernier...

REGARDE, PAPY! LÀ-HAUT, PENDU AU BALCON...

...UN PÈRE NOËL DÉCORATIF!

OUAIS! DÉLAISSÉ DEPUIS LE DÉPART DES LOCATAIRES.

IL FAIT PEUR AUX OISEAUX! ATTENDS-MOI LÀ, FISTON...

?!

...JE VAIS LE DÉCROCHER.

Je vous laisse deviner la suite...

HOP!

BOP

?

MAIS JE RÊVE!

...ILS M'ONT PIQUÉ MA MARIONNETTE!

Y A PLUS DE RESPECT!

PLUS DE RESPIRATION! PLUS DE POULS! ON LE PERD! ON LE PERD!!

LES ÉLECTRO-CHOCS! VITE!

TOME & JANRY + DAN

487

POTIONS, CHARMES ET ENCHANTEMENTS

10 C.

AMOUR, ARGENT, VIE ÉTERNELLE

ÇA MARCHE AUSSI POUR TROUVER LA PRINCESSE IDÉALE?

AUSSI, MAIS C'EST PLUS CHER: **UN** CHOCOLAT!

ÇA ROULE!

KADABRA!! VA DANS LE MARAIS QUI BORDE LA DÉCHARGE ET TROUVE UNE GRENOUILLE QUE TU EMBRASSERAS (AVEC LA LANGUE). UNE PRINCESSE T'APPARAÎTRA.

CROA?

SMOUTCH!

CROA?

CROA?

?

CROA!

SMOUTCH?

SMOUTCH?

SMOUT

SMOUTCH?

SMOUTCH

ET ALORS, FINALEMENT, CETTE PRINCESSE? ELLE EST COMMENT?

C...COMMENT!? CE N'EST PAS... VOUS?

MON PRINCE À MOI NE CONFOND PAS CRAPAUD ET GRENOUILLE.

TOME & JANRY + DAN

489

BEN, M'SIEUR MÉGOT, QU'EST-CE QUI VOUS ARRIVE ?

LA **SOLITUDE**, BANDE DE MOULES ! AUCUNE FEMME NE SOUHAITE PARTAGER NI MON CŒUR, NI MON LIT...

MALGRÉ MON CHARMISME.

...MALGRÉ MA SENSIBILITUDE PRESQUE FEMELLE.

MA PLASTIQUE SANS CHIRURGIE.

QUE DU NATUREL !

MON PHYSIQUE AVANTAGEUX... MES ABDOS...

DES TABLETTES DE CHOCOLAT...

L'AMOUR ME FUIT CAR JE "RONFLE !"

(À CE QU'IL PARAÎT)

SNIF

J'AI LE REMÈDE ! **STOP' RONFL®** !!

UN OREILLER MUNI D'UN CAPTEUR ! AU MOINDRE RONFLEMENT, LE DORMEUR EST PRÉVENU PAR UNE LÉGÈRE VIBRATION.

PAS BÊTE.

COMBIEN ?

À MOI LES GONZESSES !

ZZZ

RR... **R...**

CLIC !

HEP'FMGNN ?!

TOME & JANRY + DAN

490

BEN OUI, C'EST MON BALLON !

BEURK ! LE LACHE PAS !

POUR LE COSTUME, J'AI ÇA.

TERRIFIANT ! C'EST PARTI !

DRÏÏING

BOUAAA!

DES BONBONS, MAMIE ! OU DES FANTÔMES TOUS LES JOURS !

ENCORE ! MAIS C'EST CHAQUE SEMAINE MAINTENANT !

BON, ENTREZ UNE SECONDE, JE VAIS VOIR.

VOILÀ ! FILEZ VOUS FAIRE DES CARIES !

MERCI MAMIE !

FAUDRAIT FAIRE LE COUP MOINS SOUVENT, ELLE COMMENCE À SE DOUTER DE QUELQUE-CHOSE.

BEN... TU Y RETOURNES ?

JE REVIENS ! J'AI OUBLIÉ QUELQUE-CHOSE.

TOME & JANRY

DRÏÏING

491

Bon, alors, il était donc une fois, tout là-bas dans le lointain et féérique pays des mille et une babouches...

...Un grand papy vénérable et son fils marchent à côté de leur âne pour aller le vendre au marché de la ville. Soudain:

HO HO HO! REGARDEZ CES BANDES DE MOULES! ILS ONT UN ÂNE ET NE S'EN SERVENT MÊME PAS!

Et ensuite, plus loin...

MAIS, VIEIL HOMME! AS-TU PERDU LA RAISON? C'EST TOI ET NON TON JEUNE FILS VIGOUREUX QUE CET ÂNE DEVRAIT PORTER!

Plus loin encore...

REGARDEZ CE VIEILLARD ÉGOÏSTE QUI FAIT MARCHER SON JEUNE ENFANT DEVANT SON ÂNE!

SCANDA-LEUX!

Et enfin....

MÉCHANTE FAMILLE QUI ÉPUISE UN PAUVRE ANIMAL SOUS L'ÉCRASANT FARDEAU DE DEUX PERSONNES!

Bref, la moralité de ce conte:

"Fais ce que tu voudras, il y aura toujours quelqu'un pour te critiquer..

ZZZZZZZZZ...

CHHHHHUUT, ÇA Y EST! ILS'EST ENFIN ENDORMI!

RRR.ZZZZZZZZ
RRR.ZZZZ
ZZZZ
RRR

TOME & JANRY + DAN

23

BON ! VOUS, LÀ, VOUS FAITES SUR MOI LA PRISE QU'ON A APPRISE AU COURS !

GNN GNN GN NNNNNNNNN !

C'EST QUAND TU VEUX, HEIN !? ON A JUSQU'AUX VACANCES DE NOËL..

J'Y ARRIVE PAS ! 'Z AVEZ PAS LES PIEDS COMME DANS LA LEÇON !

ET DANS LA RUE, TU CROIS QUE LE MALANDRIN SE PLACERA COMME TU VEUX ?

BON !

VOILÀ !

JE PEUX ME LAISSER TOMBER TOUT DE SUITE AUSSI, POUR QUE CE SOIT PLUS FACILE.

ATTENDS...

GLOP

GNN GNNN

KKRAK !

GONFLEX

DIANA J'MOI

BOMP

BAF BOUM

SHOTT

AÏE !

KRAK

OULA !

OUF !
¡L BOUGE !

TOME & JANRY + DAN

493

VRO?...

495

...À LA PLAGE ??! TU ME PRENDS POUR MISS BRÉSIL ?!

ÇA FAIT 50 ANS QUE J'AI PAS MIS MON MAILLOT.

ACHETONS-EN UN NOUVEAU ! 'FAUT PROFITER DU SOLEIL !

ALLEZ ZOU ! C'EST MOI QUI TE L'OFFRE AVEC LES PROCHAINES ÉTRENNES QUE TU ME DONNERAS !

HEIN ?! MAIS J'EN DONNE JAMAIS !?

BON, DIS-MOI FRANCHEMENT, QU'EST-CE QUE TU PENSES DE CE MODÈLE-CI ?

HEU...

D'ACCORD AVEC TOI, TROP MODERNE.

MMH...

TROP ZAZOU...

TROP EXOTIQUE !

EH BIEN, FINALEMENT, JE GARDE MON MODÈLE CLASSIQUE !

EN 50 ANS, RIEN DE BIEN NOUVEAU.

À MÊME LE SOLEIL D'AILLEURS.

TOME & JANRY + DAN

Cher papy,
Au cours de sciences, aujourd'hui, j'ai compris comment je pourrais être un héros de guerre comme toi !

MON DIEU ! SNIF ! IL EST SI JEUNE POUR PARTIR !

AU REVOIR, CHERS PARENTS ! JE PARS AVEC LA PROCHAINE VAGUE !

SURTOUT, MÉFIE-TOI DES ANTIBIOTIQUES, FISTON !

AAAAT...

-TCHAA !

HORREUR ! ILS SONT DES MILLIONS ! NOS DÉFENSES SONT DÉBORDÉES !

POUAH ! PETIT DÉGOÛTANT ! 'POURRIEZ VOUS MASQUER LA BOUCHE QUAND VOUS ÉTERNUEZ !

VOUS ALLEZ TOUS NOUS CONTAA...AAA...

AAAT...

SNIF ! PARDON !

-TCHAA !

CHÉRIE ! NOTRE FISTON ! IL EST REVENU !

ET AVEC UN PRISONNIER EN PLUS !

je te raconte tout ça dès que je ne suis plus contagieux.

Spirou

TOME & JANRY

498

29

C'était un de ces jours où nous devions "jouer" la leçon en costume et tout...

ET DONC, MISÉRABLE SORCIÈRE, TU PERSISTES À PRÉDIRE QUE DIMANCHE, L'AMICALE SAINT-AUGUSTIN SERA BATTUE PAR LE F.C. FINASSE-LES-MAGOUILLES ?

DOUZE/ZÉRO!, ABANDON À LA PREMIÈRE MI-TEMPS!

REPENS-TOI, DRÔLESSE! OU SUBIS LA PUNITION DE LA SAINTE INQUISITION!

JAMAIS! HA HA HA! PLUTÔT GRILLER EN ENFER!

BOURREAU, FAIS TON OEUVRE.

À BAS♪ LA CALO LES CUR♪ LES BIGO♪

AVEC PLAISIR, VOTRE EXCELLENCE!

EH BIEN VOILÀ, LES ENFANTS! C'EST AINSI QUE DANS UN ÉPISODE BIEN SOMBRE DE NOTRE HISTOIRE, LES SORCIÈRES DU MOYEN ÂGE ÉTAIENT IMPITOYABLEMENT POURSUIVIES, TOUT CELA, HÉLAS, APPARTIENT AU PASSÉ.

ENFIN... J'AI VOULU DIRE "HEUREUSEMENT"

QUE L'ON ÉTEIGNE BIEN VITE LE BÛCHER, ET QUE L'ON DÉLIVRE MONSIEUR MÉGOT QUI A BIEN VOULU PRÊTER SON CONCOURS À CETTE LEÇON D'HISTOIRE... OÙ EST L'EAU ?!

SNIF SNIF

OUCH PFF PFF PF PF PFF PF OUCH

On a bien réussi à éteindre le feu, mais il a fallu se mettre en cercle autour des flammes, même Vessie, notre brave chien.

TOME & JANRY + DAN

499.

HEU... EH BIEN, POUR RÉPONDRE SCIENTIFIQUEMENT À VOTRE QUESTION, VOICI UNE PETITE DÉMONSTRATION...

D'ABORD, IL FAUT UNE CUVETTE, UN ŒUF CUIT SANS COQUILLE ET UNE SOURCE DE COMBUSTION.

JETÉE DANS LA CUVETTE, LA FLAMME VA CRÉER UN VIDE D'AIR...

SI L'ON POSE L'ŒUF COMME CECI... (ET JE LE PRÉCISE...)

(... CELA POURRAIT AUSSI FONCTIONNER AVEC UNE CIGARETTE ALLUMÉE...)

HOP! L'ŒUF EST ASPIRÉ PAR LE VIDE D'AIR!

...ET IL A ENFIN DIT QUE, SURTOUT, C'EST TRÈS DANGEREUX DE FUMER AUX TOILETTES!

JE PEUX REGARDER MAINTENANT?

NAN! FILE APPELER DISCRÈTEMENT LES POMPIERS!

500.

ALLEZ, VESSIE ! HOP !

PSSS ! BON CHIEN !

HEU... SAUTE !

HA ! BEN NON, ÉVIDEMMENT ! ON NE DONNE PAS LE NONOSSE AVANT ! Z' ARRIVEREZ JAMAIS À DRESSER VOTRE ANIMAL COMME ÇA !!

MAIS JE NE VEUX PAS LE DRESSER ! JUSTE JOUER AU DOMPTEUR DE LION.

C'EST PAS UN LION ET LE NONOSSE, APRÈS !

D'ABORD UNE BONNE RACLÉE POUR LUI INSPIRER UNE SAINE TERREUR DE L'HOMME.

BOMP

ALLEZ ! AU PANIER, MON PLUTO ! BON CHIEN ! FÉROCE MAIS BIEN DRESSÉ PAR SON MAÎMAÎTRE !

ÇA VA ÊTRE POUR QUI, LA RÉCOMPENSE ? POUR VESSIE LE PARESSEUX ?

NON NON NON !

KAÏ

LE BON NONOSSE, IL VA ÊTRE POUR LE GENTIL PLUTO ! PAAAS POUR ...

!

ADADAS

ROOOAAA

LE VILAIN VESS...

HEU... TU DEVRAIS PAS LE RAPPELER ?

MAIS ENFIN ! TU SAIS BIEN QU'IL NE M'OBÉIT PAS !

PSS

501

C'est le genre de chose qui a bien dû m'arriver... je sais pas... au moins 500 fois! pas vous?

Surtout quand je mets mes belles chaussures de sport...

...Avant d'enfiler mon pantalon...

Le problème apparaît rapidement...

ça coince...

On s'obstine.

Même le retirer devient impossible.

On s'entête... on s'acharne... jusqu'à ce que...

KRAAK

...et bien sûr...

WAOW! COOL, LE KILT!

J'AI COMPRIS! J'AI COMPRIS!

?

COMPRIS QUOI ?

POURQUOI LA PROF DE CALCUL EST AMOUREUSE DE DUGENOU! C'EST UN SUPER JUSTICIER!

M'SIEUR DUGENOU? TU DÉLIRES!

JE L'AI VU S'HABILLER DANS LES TOILETTES.

...C'EST LUI L'HOMME-TOILE-D'ARAIGNÉE!!!

MAIS... C'EST UN BAL COSTUMÉ! ON EST TOUS DÉGUISÉS!

ET PUIS POURQUOI TU COURS PARTOUT?

'FAUT QUE J'AVERTISSE MON PÈRE! IL EST EN DANGER!!!

EN DANGER? TON PÈRE?

TU TE RAPPELLES PAS ? IL EST CAMBRIOLEUR!

TRÈS RÉUSSI, CE DÉGUISEMENT DE CAMBRIOLEUR!

CIEL! L'HOMME-TOILE-D'ARAIGNÉE! JE SUIS FAIT, HÉHÉ!

PARFAITEMENT, MALANDRIN!' GOÛTE À MA TOILE PARALYSANTE!

PIF

HI HI! UN JUSTICIER CONTRE UN CAMBRIOLEUR, ÇA VA DÉCOIFFER!

PFF...IL A BIEN FAILLI FAIRE TOUT RATER, CELUI-LÀ!

TOME & JANRY

503

M'SIEUR MÉGOT, J'AI BESOIN DE VOUS POUR SÉDUIRE UNE AMOUREUSE.

ET QUOI ENCORE ? TU VEUX PAS QUE JE LA DRAGUE À TA PLACE EN PLUS ?! TA SUZETTE ?

GRINSS...

MAIS C'EST PAS SUZETTE ! C'EST MOIZELLE CHIFFRE, LA PROF DE CALCUL !

!?! LA PROF DE CALC... DING!

C'EST QUOI TON PLAN ?

DADAS

UNE FAUSSE AGRESSION ! CE SOIR, VOUS FAITES LE VOLEUR, L'AMOUREUX ARRIVE POUR LA SAUVER !

PAS BÊTE! 'FALLAIT Y PENSER, HÉHÉ...

OÙ ET QUAND ?

AU PARC, À LA TOMBÉE DU JOUR.

C'EST ÇA ! MERCI POUR LE TUYAU !

VA JOUER MAINTENANT !

Le soir...

CHÈRE MÉDÈME, QUEL HASARD ! C'EST LE DESTIN EN PERSONNE QUI ME MET SUR VOTRE ROUTE.

ET POUR VOUS LE PROUVER, JE...

HOLÀ! MALANDRIN ! TU VIOLENTES UNE FAIBLE FEMME !? C'EST MOI, L'HOMME TOILE-D'ARAIGNÉE !

DIS DONC, P'TIT BANDE DE MOULES ! J'T'AI DIT D'ALLER JOU...

GOÛTE À MA BOTTE SECRÈTE !

NE CRAIGNEZ RIEN, MON AIMÉE ! JE ME CHARGE DE LUI !

ELLE M'AIME EN SUPER HÉROS ! TU REMERCIERAS M'SIEUR MÉGOT. COMMENT L'AS-TU CONVAINCU ?

BIEN TROUVÉ, LE COUP DE L'AMBULANCE À LA FIN !

BEN, HEU...LES CHOCOLATS...

TOME & JANRY

M'SIEUR MÉGOT! 'Y A CASSIUS QUI A UN BÂTON DE SOURCIER POUR VOUS!

DE "SOURCIER"?! À MOINS D'UNE SOURCE DE BIÈRE OU DE GONZESSES, ÇA M'INTÉRESSE PAS!

JUSTEMENT! C'EST UN BÂTON DE MARABOUT AFRICAIN! IL TROUVE D'UN SEUL COUP TOUTES LES FEMMES ESSEULÉES LES JOURS DE PLEINE LUNE...

LA PLEINE LU...MAIS? C'EST AUJOURD'HUI!!

HEU... COMBIEN ÇA COÛTE?

HEU...DEUX BILLETS D'EXEMPTION DE COURS DE GYM POUR SIX MOIS!

...SOIT! UN SEUL POUR VOUS DEUX! HÉ HÉ! ARRANGEZ-VOUS!

ESCROCS EN SHORT!

HO HO! MAIS C'EST QU'IL FRÉMIT...

INCROYABLE! ÇA MARCHE! À MOI LES GONZESSES!!!

UN SEUL MOT D'EXEMPTION! ON FAIT COMMENT?

'T'INQUIÈTE! VU COMME IL COURT, ON EST TRANQUILLES POUR UN MOMENT!

TOME & JANRY

505

PFFOU! ÇA CHAUFFE! ON PIQUE UNE TÊTE DANS LA SOUPE À MÉDUSES ?

...53!

MINUTE!

...54!

HO! LES GARÇONS! VOUS VENEZ PLONGER AVEC NOUS ?

ON ARRIVE !

...55!

YOUUUUU!

HI HI !

BEN QUOI ? QU'EST-CE QU'ON ATTEND ?

PATIENCE...

...59!

JE COMPRENDS PAS: PENDANT QUE TU RÉVISES TES CALCULS, LE MONDE SE BAIGNE.

TU CROIS QUE JE SUIS LÀ POUR BRONZER !? JE RÉVISE PAS, JE COMPTE! TOUTES LES 75 VAGUES, Y EN A UNE PLUS GROSSE QUE LES AUTRES!

...72!

...74!...LA VOILÀ QUI ARRIVE !

HIIIIII!

ON Y VA!

...ET N'OUBLIE PAS CE QUE JE T'AI DIT À PROPOS DES ÉLASTIQUES DES MAILLOTS!

TOME & JANRY + DAN

⟨37⟩

Chère madame l'institutrice, vous aurez du mal à me croire et c'est pour ça que je vous écris cette lettre de ma propre main. Tout a commencé quand je me suis aperçu...

...que j'avais emporté le précieux document par inadvertance.

Un bref regard au calendrier m'indiqua que c'était bien aujourd'hui...

...que mon fils devait vous le rendre sous peine d'une sérieuse...

...réprimande. Mon sang ne fit qu'un tour et malgré que...

...le sort s'acharnait contre moi, je mis tout en œuvre pour...

...réparer mon erreur dont mon fils...

...n'est en rien responsable malgré l'état un peu malmené...

...de ce devoir de calcul que je vous demande d'excuser...

...vu les circonstances. Signé...

507

Le pappa du petit Spirou.

AVEC DEUX "P"?!

PAF

TOME & JANRY+DAN

ZÉRAU DIX

38

Pour nous apprendre l'histoire, l'abbé Langélusse nous fait jouer...

HOP! TOUS EN PISTE!

Chacun se déguise et incarne un personnage. Ce jour-là, c'était l'Égypte des pharaons.

Le grand prêtre Langélis (lui).

Monsieur Mégot, (prof de gym) le pharaon Ma-Râ-Thon.

Cassis, l'esclave.

Ékrevis, (moi) le domestique.

Bref, je résume: le sujet c'était...

PHARAON EST MORT! ÉKREVIS, SON FIDÈLE DOMESTIQUE, SERA SACRIFIÉ POUR L'ACCOMPAGNER DANS L'AU-DELÀ!

HEU...

Être sacrifié, même en jeu, ne me disait rien. Il fallait gagner du temps.

MAIS, GRAND PRÊTRE, POURQUOI LES MOMIES SONT-ELLES EMBALLÉES DANS DES BANDAGES ??

PAS DES BANDAGES, ÉKREVIS, DES BANDELETTES, POUR PRÉSERVER LE CORPS AFIN DE LE MONTRER À SA FAMILLE. VIENS LÀ QUE JE TE SACRIFIE, PAR HORUS!

Ô, RÂ! MOI, TON GRAND PRÊTRE, SERVITEUR DU TRÈS HAUT, JE VAIS PAR LE FEU SACRIFIER...

MAIS HEU...

ALORS, QUOI ENCORE?!

J'AI PEUR!

JE T'AI DIT QUE C'EST POUR DU FAUX, POUR APPRENDRE L'HISTOIRE!

C'est là que, tout d'un coup, on est tous revenus à la réalité.

SNIF?

FOUCH

AH! VOUS ÊTES DE LA FAMILLE, JE SUPPOSE.

509
TOME & JANRY

Vessie, c'est mon copain chien. Je le connais depuis qu'il est tout petit.

...Je vous laisse deviner pourquoi on l'appelle "Vessie."

L'autre jour, j'ai trouvé un autre copain de jeu.

Je sais, "Vessie", c'est un nom bizarre...

ALORS, MON BÉBÉ, TU LUI AS DONNÉ UN NOM, À TON PETIT CHAT ? COMMENT S'APPELLE-T-IL ?

"BIEN-FAIT-POUR-TOI" !

TOME & JANRY

510

TOME & JANRY + DAN

CLIC

VERT'!! DEVINE QUI FAIT SES COURSES DANS CE MAGASIN ?!!

?

LA PROF DE CALCUL ! ♥♥

WAOW

ATTENDS ! J'AI UNE IDÉE !

AIDE-MOI ! ON VA AJOUTER QUELQUES SURPRISES À SON PANIER, HI HI !

HEIN ?! TU VEUX VÔ... VOLER D...DES JOUETS ?!

MEUNON ! ELLE VA LES ACHETER, ET PUIS, SI ÇA LUI PLAÎT PAS, ELLE LE RAPPORTERA !

ET SI ELLE NE S'EN APERÇOIT PAS !

JUSTEMENT, CE SERA UN CADEAU QU'ON LUI AURA FAIT AVEC SES SOUS !

FILONS ! LA VOILÀ !

SI ÇA LUI PLAÎT PAS, TU CROIS QU'ELLE NOUS LE DONNERA ?

TU RÊVES... REGARDE ! ELLE PASSE À LA CAISSE !

ET VOILÀ LE TRAVAIL ! CE SOIR, J'EN CONNAIS UNE QUI VA ÊTRE SURPRISE !

DRIIING

VOICI VOS EMPLETTES, MADAME CALOT ! VOUS VOUS SOUVENEZ ? VOUS M'AVIEZ DEMANDÉ...

BRRVZZZZ

512

TOME & JANRY

43

Hoou, mon bon Melchiorichou ! que diriez-vous d'une petite escapade dans les bois, vêtus de notre plus simple appareil ?

Heu, ma gazelle... mais c'est très risqué pour ma carrière... Heu, monsieur Mégot pourrait nous surprendre !

Allons, grand timide ! ne voyez-vous pas que mon cœur bat à tout rompre ? La fièvre me torture ! Emmenez-moi au paradis des sens !

TAGADAP TAGADAP !

Laissez-moi vous débarrasser de ces vêtements encombrants hi hi !!

OUPS ! J'AI GLISSÉ ! JE TOMBE SUR VOUS !!

HOHO ! MAIS QU'EST-CE QUE JE DÉCOUVRE LÀ !? VOUS FAITES DES CHOSES DANS LES BOIS, BANDE DE BOULES !!

ADADA

AH NON ! ÇA NE VAUT PAS !!

LE PROF DE GYM DIT "BANDE DE MOULES" ! PAS "BANDE DE BOULES" !

MAINTENANT, IL DIT "BANDE DE BOULES".

"BANDE DE MOULES !"

T'AS RIEN COMPRIS OU QUOI ?!

"BANDE DE BOULES !"

NAN ! "BANDE DE MOULES !!" T'ES PAS D'DANS ! C'EST TOUJOURS PAREIL, T'INVENTES TES PROPRES RÈGLES !

"BANDE DE BOULES !"

NAN ! "BANDE DE MOULES !"

BAF !

KLOPS !

SNUF ?

PUDIS TOUS LES DEUX ! BANDE DE BOULES !

CHAHUDEURS !

SNIRF

AH ?!

VA MOURIR TOUT NU !

SPORT 2000

TOME & JANRY

513

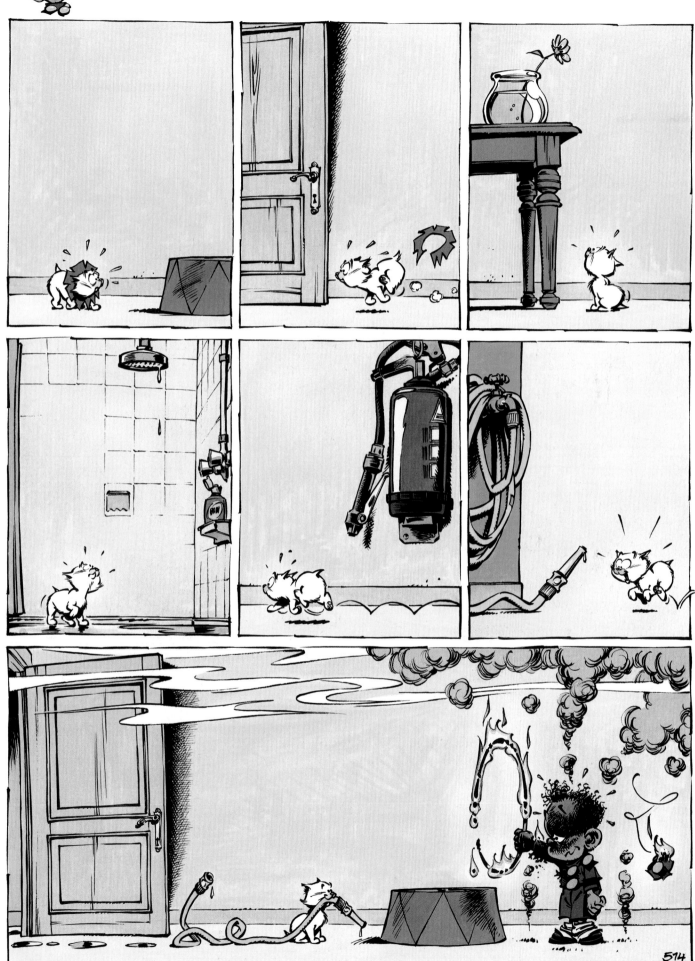

MESSIEURS LES JURÉS,

J'EN APPELLE À VOTRE INDULGENT JUGEMENT.

CAR ENFIN, L'ACCUSÉ EST BIEN JEUNE ET IL A DES CIRCONSTANCES ATTÉNUANTES.

UNE ENFANCE SOLITAIRE, L'OPPRESSION DES DEVOIRS, UN PAPA AVENTURIER SOUVENT ABSENT...

...ET CETTE MÉTÉO DÉPRIMANTE, LA PLUIE GLACÉE QUI SE DÉVERSAIT DEHORS.

SANS PARLER DE SON COMPLICE (LE CERVEAU?) TOUJOURS EN FUITE,

QUANT À L'ARME DU CRIME, HEIN? ÇA, PARLONS-EN!

UN OBJET CONTONDANT? UN ARSENAL ILLÉGAL? RIEN DE TOUT CELA!

UN PAUVRE JOUET, MESSIEURS LES JURÉS! LE SEUL AUTORISÉ DANS CETTE FAMILLE SI STRICTE OÙ L'UNIFORME EST OBLIGATOIRE!

AU LIT SANS DESSERT ET RETENUE TOTALE SUR L'ARGENT DE POCHE!

AFFAIRE JUGÉE!

BOMP

TOME & JANRY + DAN

515

Quelques andouilles...

...sauf lui !

MONSIEUR MÉGOT

Le prof de gym.
Désiré de son prénom;
indésirable auprès de
ses élèves.
Auteur de la formule :
"Le sportif intelligent
évite l'effort inutile".
Boit.
Fume.
Boit.
Fume.
Craque de partout.

L'ABBÉ LANGÉLUSSE

(Hyacinthe.)
C'est le gardien
vigilant des âmes
qui vivent à l'ombre
du clocher.
Épie mes promenades
avec Suzette
au petit bois.
Parle parfois avec
"Lui" !
Aurait déjà sa place
réservée *"Là-haut"*.
Et on ne rigole pas avec
ces choses-là.

MELCHIOR DUGENOU

C'est le petit ami caché
de la prof de calcul.
Mais c'est un secret,
on ne peut pas le dire.
Surtout quand
Mademoiselle Chiffre
l'emmène pour un bain
de minuit et que nous
sommes dans les buissons
pour les observer. Parfois,
je me dis qu'il a bien de la
chance, "Melchiorichou".

GRAND-PAPY

(Je l'appelle Pépé.)
Aurait connu
les tranchées.
Fume la pipe sans
avaler la fumée.
Lauréat invaincu du
Rallye des Ancêtres
à roulettes.
Porte un dentier
et prend des bains
de pieds aux algues
aromatiques.
Complètement fondu.
C'est ma grande
personne préférée.

Dépot légal : janvier 2009 — D.2009/0089/1
ISBN 978-2-8001-4324-8 — ISSN 0776-2844
© Dupuis, 2009.
Tous droits réservés.
Imprimé en Belgique.
www.dupuis.com